© Peralt Montagut
D.L. B-35077-98
Impreso en C.E.E.

Blancanieves

y los siete

Enanitos

Ilustrado por Graham Percy

Érase una vez una reina y un rey, que gobernaban en un país muy lejano. Un día de invierno, la reina, sentada junto a la ventana, contemplaba la nieve mientras cosía. Distraída, se pinchó en su delicado dedo y tres gotitas de sangre cayeron sobre la nieve de la repisa de su ventana. Como por encanto fijó su mirada en las tres gotitas y formuló el siguiente deseo:

—Desearía tener una hija hermosa y dulce, con la piel tan blanca como la nieve, los labios tan rojos como esta sangre y con el pelo tan negro como el marco de esta ventana.

Un año después, el deseo de la reina se cumplió y
nació una niña a la que pusieron el nombre de
Blancanieves.

Desgraciadamente, la hermosa y dulce reina murió
pronto y su marido, el rey, se volvió a casar.
Su esposa, la nueva reina, era también hermosa,
aunque vanidosa y malvada.

Cada día se miraba en su espejo mágico y le
preguntaba:
—Espejito, espejito, ¿quién es la más bella del reino?
Y el espejo le contestaba:
—Tú, ¡oh Reina!, eres la más hermosa.

La reina se alegraba
mucho al pensar que
ella era la mujer
más bella del reino.

Pero Blancanieves crecía y crecía, y cada día era más y más bonita, hasta que todo el mundo vio que ella era mucho más hermosa que su orgullosa madrastra.

Un día, como de costumbre, la reina preguntó al espejo:
—Espejito, espejito, ¿quién es la más bella del reino?
Pero esta vez, el espejo contestó:
—¡Oh, señora, mi Reina, tú sigues siendo hermosa, pero nadie en el reino puede superar la belleza de la princesa Blancanieves!

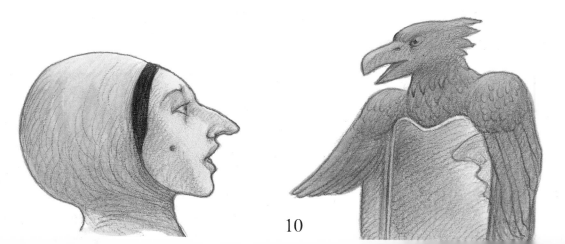

Al oír esto, la rabia y el odio se adueñaron de la
reina, que llamó a un soldado y le ordenó:
—¡Lleva Blancanieves al bosque y mátala!

—Tráeme su corazón; así sabré
que realmente está muerta —le
gritó desde la torre.

Una vez en el bosque, Blancanieves imploró al
soldado que le perdonara la vida, y este,
compadeciéndose de aquella encantadora criatura,
le permitió que se escapara. Blancanieves, corriendo
y corriendo, se adentró hasta lo más profundo del
bosque.

El soldado, en el camino de vuelta a palacio, mató
un ciervo y le extrajo el corazón para mostrárselo a
la reina.

Para la pobre Blancanieves, el bosque era un lugar aterrador. Los animales salvajes rugían y gruñían por todas partes, pero ninguno de ellos le causó daño.

Cuando el sol empezaba a ocultarse, de pronto, apareció ante sus ojos una pequeña casita. Se acercó a ella y llamó a la puerta. Como nadie le contestó se decidió a entrar.

Dentro, todo estaba muy limpio y ordenado. Había una mesa dispuesta para siete personas y siete pequeñas sillas.

Junto a la pared se veían siete pequeñas camas.

Como tenía mucha hambre, Blancanieves tomó un poco de pan de cada plato y bebió un sorbito de agua de cada vaso. Entonces, sintiéndose muy cansada, se acostó en una de las camitas y enseguida se quedó dormida.

Mientras tanto, los siete pequeños habitantes de la casita volvían a su hogar. Eran siete enanitos, que se dedicaban a buscar oro en las montañas, al otro lado del bosque.

Cuando entraron en la casita, quedaron muy sorprendidos y empezaron a preguntarse:

—¿Quién ha utilizado nuestros cubiertos?

—¿Quién ha bebido nuestra agua?

—¿Quién ha comido nuestro pan?

16

Fue entonces cuando uno de ellos cogió una lámpara y se dirigió hacia el otro lado de la habitación. ¡Oh, sorpresa!, allí estaba Blancanieves dormida en una de las camitas.

Al día siguiente, Blancanieves les contó su triste historia. Los enanitos estuvieron todos de acuerdo en que debía quedarse a vivir con ellos en la pequeña casita del bosque.

Blancanieves les dijo:

—Guisaré para vosotros, limpiaré vuestra casita y os coseré vuestra ropa mientras buscáis oro en las montañas.

Cada día, antes de marcharse a trabajar, los
enanitos le aconsejaban a Blancanieves:
—Cierra bien la puerta con llave y no dejes entrar a
nadie. La malvada reina, tu madrastra, podría
enterarse de que lograste salvar tu vida.

Mientras tanto, como de costumbre, la malvada reina consultaba a su espejo mágico, al que preguntaba:

—Espejito, espejito, ¿quién es la más bella del reino? Y otra vez el espejo le contestó:

—¡Oh, Reina!, tú sigues siendo hermosa, pero nadie puede superar la belleza de Blancanieves. —Y añadió—: En la parte más profunda del bosque, vive la princesa con siete enanitos.

Entonces, la malvada reina, llena de rabia y de celos, entró en su habitación secreta para coger una cesta de manzanas y un frasco de veneno.

La reina eligió la más grande, brillante y apetitosa de las manzanas e introdujo veneno en una parte, dejando la otra parte de la manzana sin veneno.

Después se vistió como una anciana harapienta y fue al bosque con su cesta de manzanas en busca de Blancanieves.

Cuando la anciana encontró la casita, llamó a la puerta, diciendo en voz alta:
—¡Llevo deliciosas manzanas, deliciosas manzanas!

Desde el interior de la casita, Blancanieves contestó
—Lo siento, pero no debo dejar entrar a nadie.

Entonces, la astuta anciana cogió la más roja y brillante de las manzanas y mordió la parte en la que no había veneno.

Después de esto, le mostró la parte envenenada de la manzana para que Blancanieves la probara.

Blancanieves mordió la manzana, y al instante, se le cerraron los ojos y cayó al suelo desmayada.

Cuando los siete enanitos volvieron a casa y encontraron a Blancanieves tendida en el suelo, desmayada, creyeron que había muerto.

Estaba tan hermosa que le hicieron una caja de cristal como ataúd.

Colocaron la caja de cristal cerca de su pequeña casita. Los enanitos, y los animales del bosque, se turnaban para hacerle compañía.

Un buen día, un príncipe,
que pasaba por allí, se
detuvo ante la caja de
cristal y permaneció
mirando como encantado,
durante largo rato, a la
bellísima Blancanieves.
Luego, dijo a los enanitos:
—Ya no podré vivir sin
ella.

Emocionados, los enanitos le permitieron que
abriera la caja de cristal. En aquel momento, al
levantarla, el trozo de manzana envenenado
cayó de la boca de Blancanieves y la bella joven
retornó a la vida.

El príncipe le pidió a Blancanieves que fuera su
esposa, y ella, feliz, aceptó.

En el palacio del príncipe se preparó una gran fiesta para la boda. Todo el mundo fue invitado, y los siete enanitos ocuparon un lugar de honor.

Mientras se celebraba el banquete, la madrastra de Blancanieves estaba en sus aposentos, y, como de costumbre, hizo la misma pregunta a su espejo mágico. Éste, como siempre, le contestó:
—¡Oh, Reina, aunque tú eres muy bella, la princesa lo es mil veces más!

En cuanto la reina escuchó esto, la furia se apoderó de ella.

—Quiero ver quién es —se dijo la reina y corrió velozmente al palacio del príncipe.

Y cual no fue su sorpresa al ver quien era... ¡¡Blancanieves!! Al no poder soportar su propia cólera, cayó muerta al suelo...

Como la fiesta ya había comenzado, nadie se dio cuenta de lo ocurrido.

La fiesta fue maravillosa para todos y, sobre todo, para Blancanieves y el príncipe.

Y así, después de su boda, vivieron ya siempre muy felices y amados por todos los habitantes del reino.